日本のむかしばなし

はなさかじじい

How the Withered Trees Blossomed

Story by Miyoko Matsutani
Pictures by Yasuo Segawa

J. B. Lippincott Company   Philadelphia/New York

Once upon a time there lived a kind and honest Old Man with his wife. One day he put his basket in the river to catch fish.

Seeing this, his neighbor put his own basket farther up the river than Old Man's.

Next morning when the neighbor went to look, he found nothing but a root in his basket.

むかしむかし。

ある　ところに、こころの　やさしい　おじいさんと　おばあさんが　すんで　いました。ある　ひの　こと、さかなを　とろうと　おもって　ねえ、かわに　かごを　かけましたって。

それを　みた　となりの　おじいさんは、ようし、まけるもんかと　おもってねえ、おじいさんの　かごより　もっと　かわの　うえの　ほうに　かごを　かけました。

ところが、つぎの　あさ　いって　みると、となりの　おじいさんの　かごには、きの　ねっこが　ひとつ　ごろんと　はいって　いるばかり……。

Library of Congress Catalog Card Number 75-141769
Printed in Japan

The neighbor got very angry and robbed the kind Old Man of all the fish he had caught. He threw the root into Old Man's basket and went home.

When Old Man came to the river he found nothing but a root in his basket.

"All right, all right. Even a root makes firewood, if it is dried and split."

となりの　おじいさんは　はらを　たてて、おじいさんの　さかなを　ありったけ　とって　しまいました。

そして、その　かわりに　さっきの　きの　ねっこを　ほうりこんで、すまして　かえりました。

そこへ、なんにも　しらずに、おじいさんが　やって　きました。

みれば　きの　ねっこが　ごろんと　はいって　いるばかり。

「いいさ　いいさ。きの　ねっこだって、かわかして　われば　まきに　なるだ。」

Old Man took the root home and dried it well in the sun.
"Well, it seems to be dry. I'll split it and make firewood."
Suddenly, as he split it, a small white dog was born from the root.
Old Man named the dog "Shiro."

おじいさんは、きの　ねっこを　もって　かえると、ひに　あてて　よく　かわかしました。

「さあて、もう　かわいたようだから　わって　まきに　しよう。」

おじいさんが　なたを　ふりあげて、ぱあんと　わると、これは　おどろいた。しろい　ちいさな　こいぬが、ぺろっと　うまれました。おじいさんは、こいぬに　しろと　なまえを　つけましたって。

Shiro ate and ate and grew bigger and bigger every day.

And, one day Shiro began to talk.

しろは、おわんで　たべさせれば　おわんの　ぶんだけ、
おなべで　たべさせれば　おなべの　ぶんだけ、
おかまで　たべさせれば　おかまの　ぶんだけ、どんどん　おおきく　なりました。
そして、ある　とき、ものを　いいました。

"Master, put a saddle on me."

「おじいさん、おらに　くらを　つけて　おくれ。」

「とんでもない。なんで　くらを　つけるだね。」

「いいから　いいから、つけて　おくれ。」

"Terrible! Why do you want me to put a saddle on you?" asked Old Man.

"Don't worry. Please do as I say and put a straw bag on me."

「それから、かますを　つけて　おくれ。」

「とんでもない。なんで　かますを　つけるだね。」

「いいから　いいから、つけて　おくれ。」

"Master, ride on my back with a spade."

「おじいさん、くわを　つけて、おらの
せなかに　のって　おくれ。」
「とんでもない。かわいい　おまえに
なんで　のれるものか。」
「いいから　いいから、のって　おくれ。」

"Terrible! I can't ride on you, pretty dog," cried Old Man.
"Don't worry. Please do as I say," said Shiro.
With Old Man on his back, Shiro walked slowly to the mountain.

おじいさんを　のせると、しろは　のっしのっし、
やまへ　のぼって　いきました。

Arriving at the top of the mountain, Shiro said, "Master, dig here."

Old Man dug and dug with the spade. Then, what a surprise! Many pieces of gold and silver and precious gems appeared in the hole.

しろは　やまへ　つくと、

「おじいさん、ここを　ほって　ごらん。」

そう　いいましたって。

おじいさんが　くわを　ふって、じゃっくりじゃっくり　ほって　みると、まあ、おどろいた。おおばん　こばんが、ざくざく　でて　きました。

"Master, fill the straw bag and climb on my back."
"Terrible! You will collapse, Shiro," mourned Old Man.
"Don't worry. Ride on me, please," commanded Shiro.

「おじいさん、それを　かますに　つめて、おらの　せなかに
のって　おくれ。」
「とんでもない。かわいい　おまえが　つぶれて　しまう。」
「いいから　いいから、のって　おくれ。」

When they arrived home, Old Man opened the straw bag and showed his wife the gold. It made a beautiful sound when he scooped it up and dropped it again.

Hearing the sound, the neighbor's wife came running. Seeing the treasure she cried, "Where did you get this gold?"

Old Man told the wonderful story of Shiro, and the neighbor's wife quickly asked to borrow Shiro and took him away.

うちへ　ついて　かますを　あけたら、その　きれいなこと。
すくって　おとすと、ちりん　ぽんと　いい　おとが　します。
その　おとを　ききつけて、となりの　おばあさんが、
「ひが　きえて　しまった。ひを　かして　おくれ。」
そう　いってねえ、はいって　きました。
「ひゃあ、この　こばんは　どう　したね。」
おじいさんが　わけを　はなすと、となりの　おばあさんは、
ようしと　おもってねえ、しろを　かりて　いきましたって。

The neighbor and his wife made Shiro wear a saddle and got a straw bag and a spade. They rode on Shiro and roared and beat him, saying, "Now, go to the mountain."

Shiro said nothing and climbed the mountain very lazily.

となりの　おじいさんと　おばあさんは、しろが　なんにも
いわないのに、くらを　つけてねえ、かますを　つけてねえ、くわ
を　つけてねえ、その　また　うえに　おじいさんと　おばあさん
が　のって、
「それ　いけ、やまへ　いけ。」
と、どなったり　たたいたり　しました。
しろは、のっしのっしと　やまへ　のぼって　いきました。

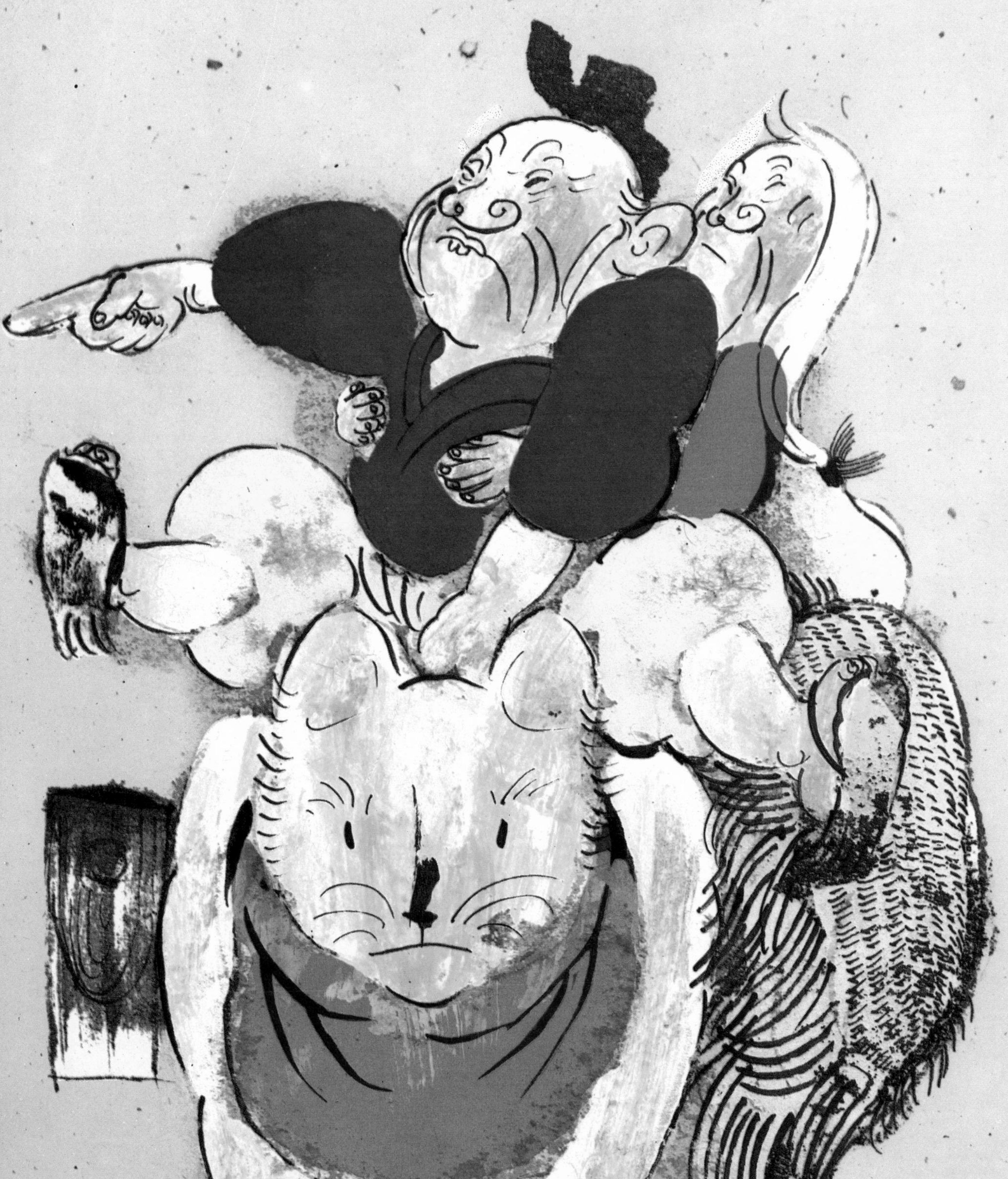

Arriving on top of the mountain Shiro stood very still.
The neighbor and his wife fell down. ''See, gold must be buried here.''
They dug with the spade. But they found only worms and filth.

やまへ　つくと、しろは　でえんと　うごかなく　なりました。
となりの　おじいさんと　おばあさんは　ころがりおりて、
「それそれ、ここに　こばんが　うまっとるだ。」
と、くわを　ふりまわして　あなを　ほりました。すると、へびだの、むかでだの、ひきがえるだの、みたくも　ない　ものがねえ、のたくた　のたくた　でて　きましたって。

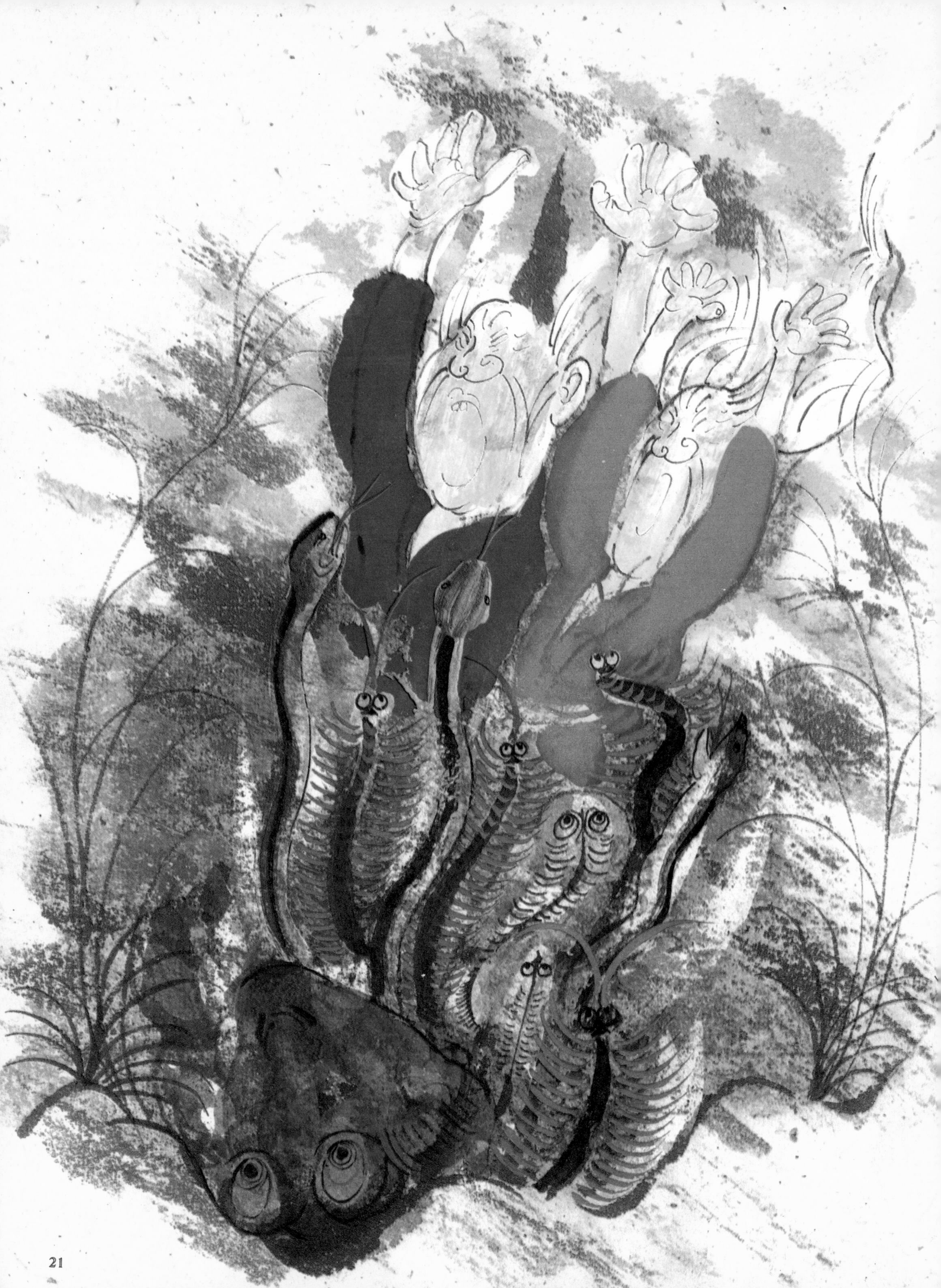

"Y-y-you have made a fool of me!" screamed the neighbor.

And he took the spade and beat Shiro to death. They buried Shiro in the hole they had dug, and fixed a branch of willow tree on it and went home angrily.

「おのれ、よくも　わしを　ばかに　したな。」

となりの　おじいさんは、くわを　ふりあげて　しろを　たたきました。しろは　ころりと　たおれて　しんで　しまいました。

となりの　おじいさんと　おばあさんは、ほった　あなに　しろを　うめてねえ、その　うえに　やなぎの　えだを　つきたてて、ぷりぷりしながら　かえって　きましたって。

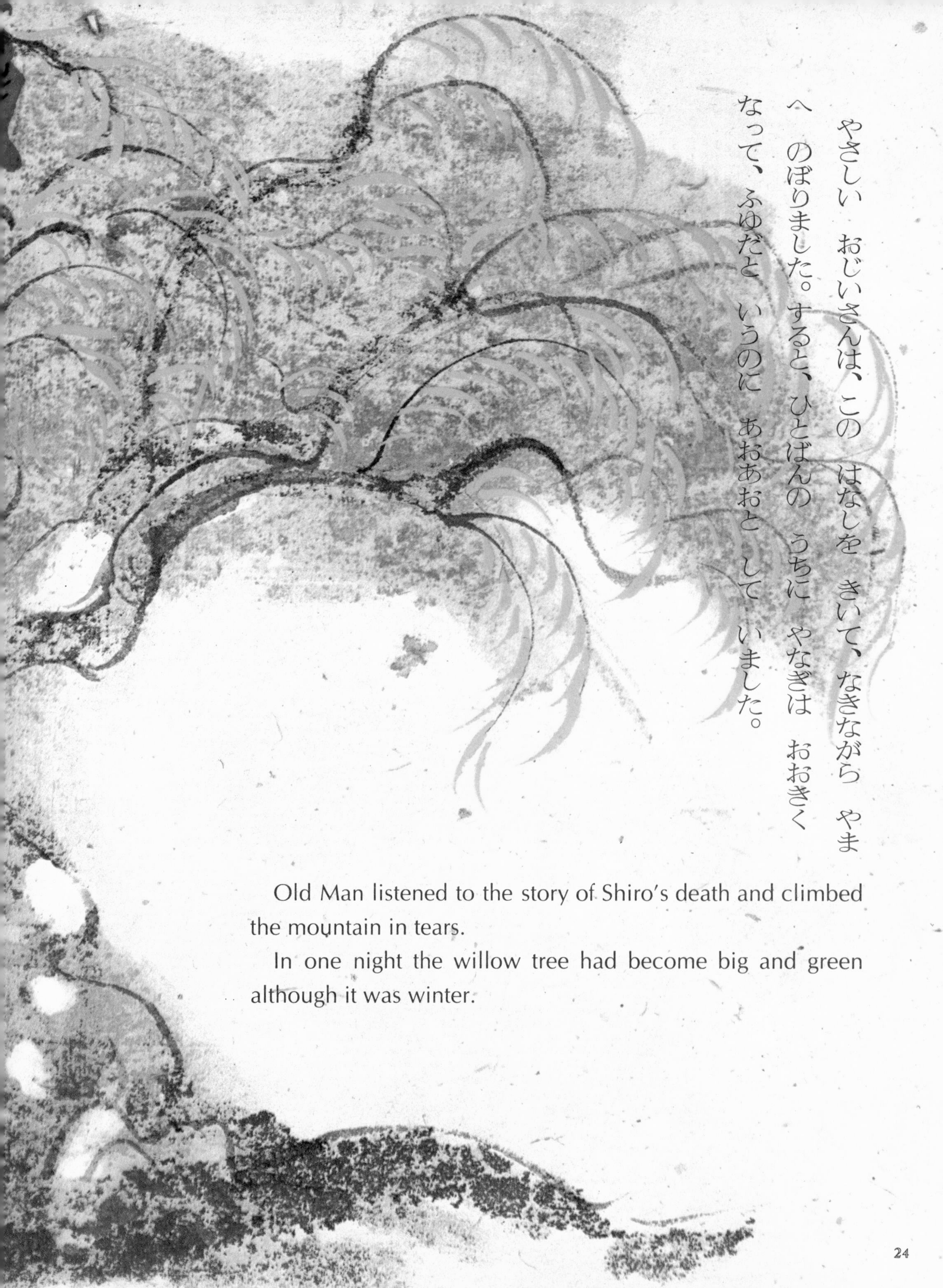

やさしい　おじいさんは、この　はなしを　きいて、なきながら　やまへ　のぼりました。すると、ひとばんの　うちに　やなぎは　おおきくなって、ふゆだと　いうのに　あおあおと　して　いました。

Old Man listened to the story of Shiro's death and climbed the mountain in tears.

In one night the willow tree had become big and green although it was winter.

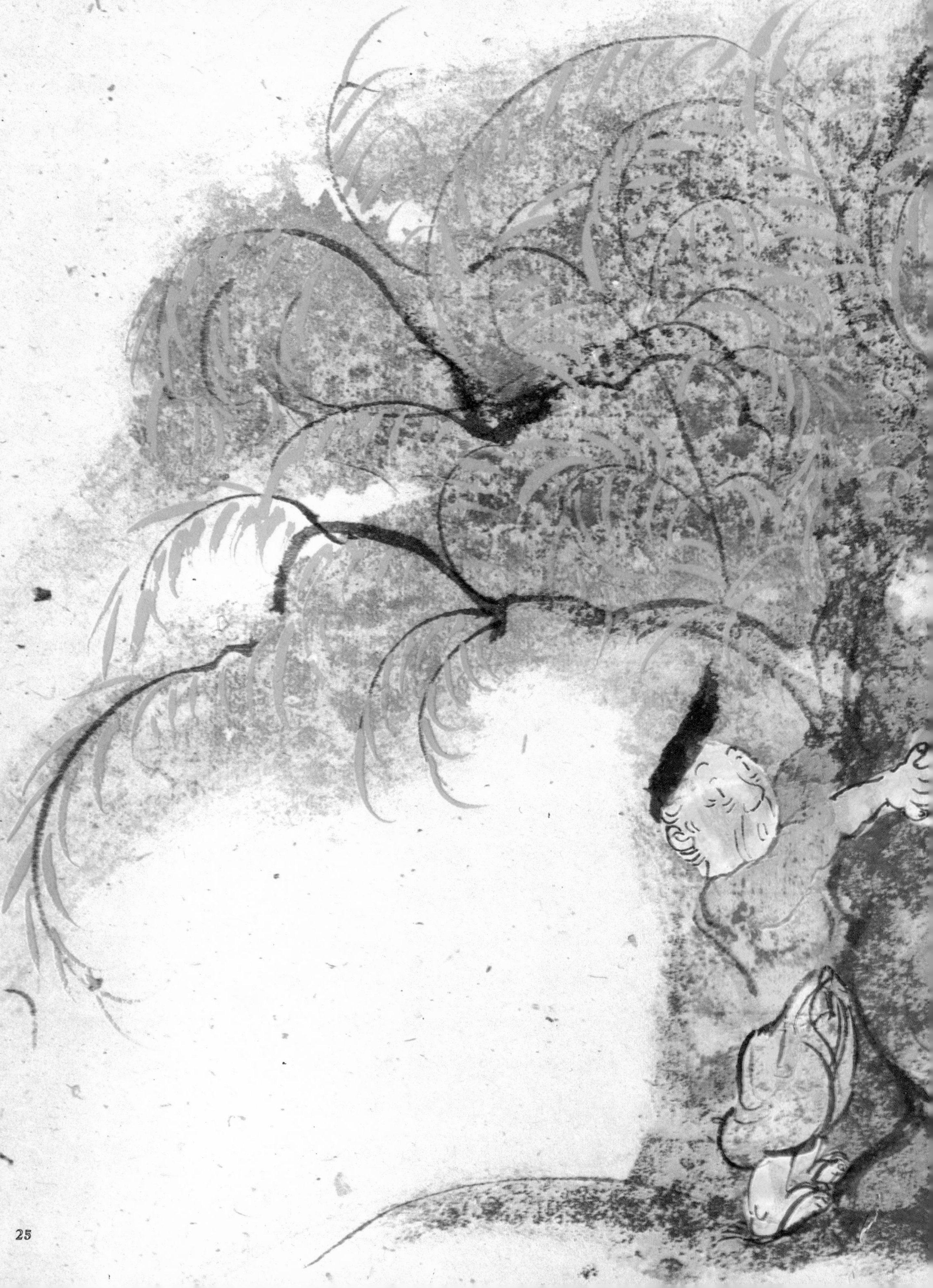

Old Man cut a branch from the willow tree as a memento of his dog, Shiro. Then he carved a bowl out of the wood. But when he and his wife ground their rice in the bowl, each grain of rice was turned into a rich gem or gold piece.

The neighbor's wife saw this and was amazed and mad with jealousy.

おじいさんは、しろの　かたみの　やなぎの　きを　きって、
うすを　こしらえました。そして、おばあさんと　ふたりで　こめ
を　ついて　いると、

　つづら　ぽんぽん
　こがね　さらさら

と、いい　おとが　して、おじいさんの　まえには　おおばんが、
おばあさんの　まえには　こばんが　でて　きました。　そこへ
となりの　おばあさんが　やって　きてねえ、おおさわぎ。

The neighbor and his wife borrowed the bowl and began to stir their rice.

Then, their rice turned to filth and they got angry and burned the bowl.

となりの　おじいさんと　おばあさんは、またまた　うすを
かりて　いくと、こめを　つきはじめました。
　おおばん　でて　こい　じゃっくり
　こばん　でて　こい　じゃっくり
すると、でたでた、おじいさんの　まえには　うしの　ふん、
おばあさんの　まえには　うまの　ふんが、ぺったん　ころころ
でて　きましたって。
となりの　おじいさんは　おこって、うすを　もやして　しまいました。

The tender-hearted Old Man and his wife wept to hear the bowl was burned.

"That bowl was a keepsake of Shiro."

"I'll bring back the ashes," shouted the angry neighbor.

And as he threw the ashes toward Old Man a gentle wind picked up the ashes and blew them toward Old Man's garden.

こころの　やさしい　おじいさんと　おばあさんは、うすが　もやされて　しまったと　きいて　なきました。

「あれは、しろの　かたみの　うすだったのに。せめて　はいだけでも　もらって　いこう。」

その　とき、さあっと　かぜが　ふいて、はいを　ふきあげました。

すると、まあ、おどろいた　ことに……。

A withered tree touched by the ashes immediately began to sprout and blossom.

"How strange and wonderful! I'll make our other flowers bloom."

Old Man scattered the ashes about, and all the flowers began to open again.

Just then, the prince of the kingdom happened to pass and said, "I will richly reward the man who makes withered trees bloom."

ちりん　ぽりん
こがね　さらさら
やえ　ひとえ

と、よい　おとが　して、はいの　かかった　かれきに　はなが　ひらきました。うめの　きには　うめの　はな、さくらの　きには　さくらの　はな、ももの　きには　ももの　はな。

「これは　おどろいた。もう　ひとつ　はなを　さかせましょう。」

はいを　つかんで　まくと、また　はなが　ひらきます。

そこへ　とのさまが　とおりかかりました。

「これは　ふしぎ、これは　みごと。」

とのさまは、おじいさんに　たくさん　ごほうびを　くれました。

The neighbor grabbed the rest of the ashes and walked around, shouting loudly, "I'm the best old man who makes the withered trees blossom. I can make the flowers open."

But the ashes flew about and into the eyes of the prince.

となりの　おじいさんは　くやしくて　たまりません。ようし、みて　いろと　おもってねえ、のこった　はいを　かきあつめ、

「にっぽん一の　はなさかじじい、かれきに　はなを　さかせましょう。」

と、どなって　あるきました。

とのさまが　それを　きいて、

「ほう、はなさかじじいが　また　きたぞ。これ、はなを　さかせて　みい。」

と　いいました。

ところが、はなが　さくどころか、そこらじゅう　はいだらけ。

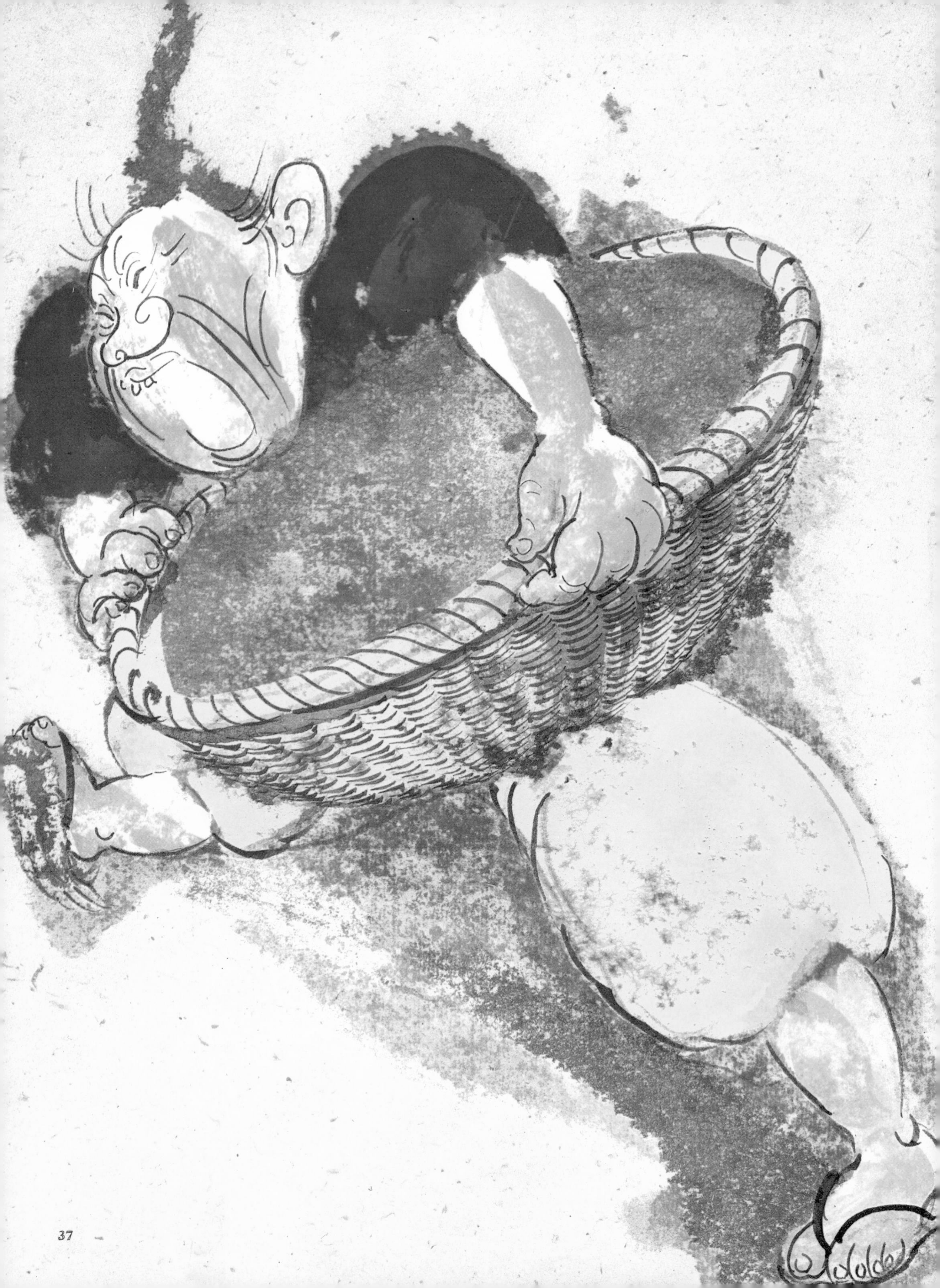

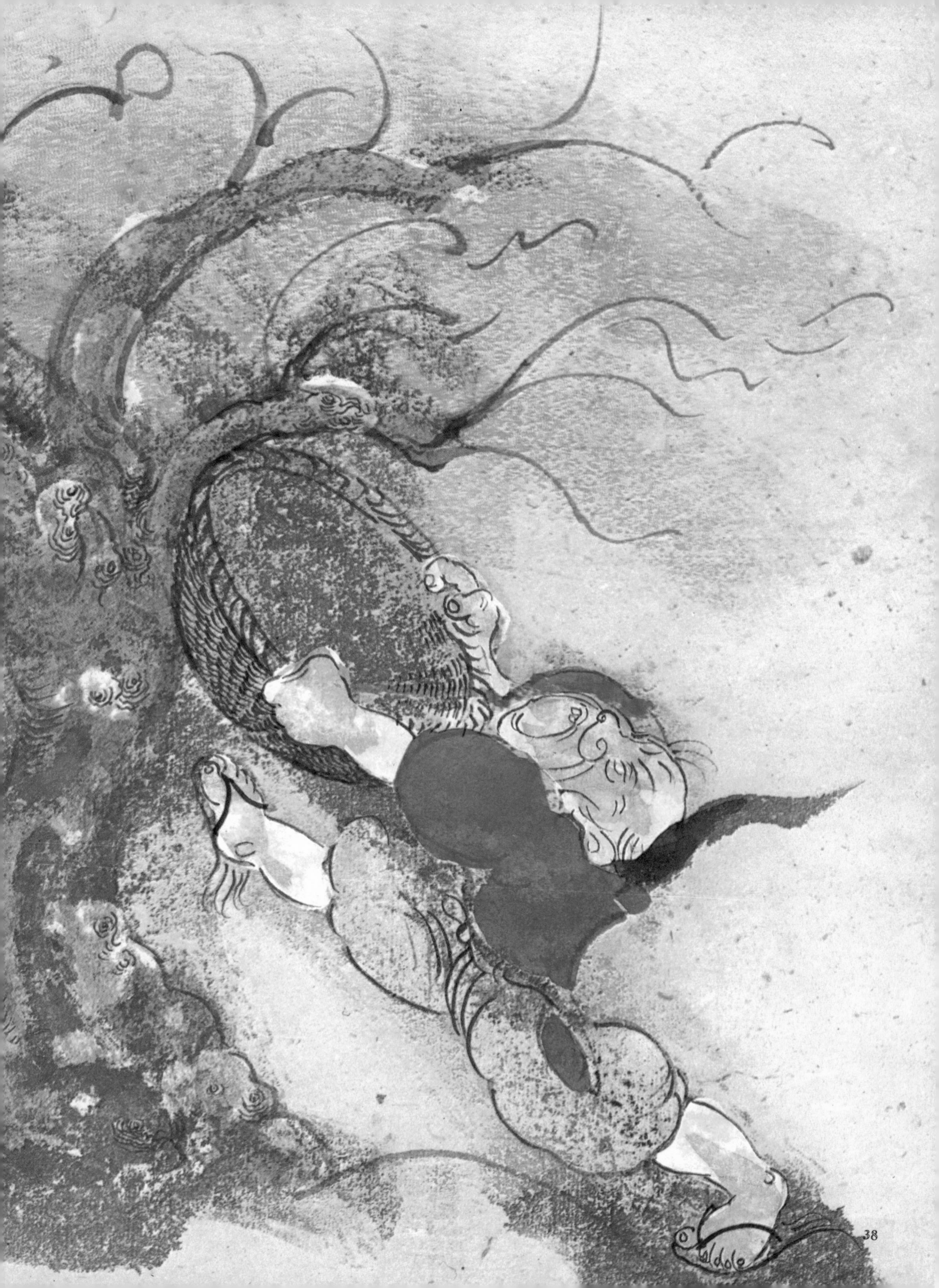

"How insolent you are!" said the prince. And the neighbor was beaten and sent away forever.

Old Man and his wife lived richly and happily with many flowers and a little pet dog.

「この　ぶれいものめ。」

となりの　おじいさんは　さんざん　たたかれましたって。

おしまい

THE END